Stockholm's Kitchens

Jeu de Paume

Stockholm's Kitchens

ストックホルムのキッチン

ストックホルムのアーティストたちを訪ねてみよう……

パリのアーティストたちのアトリエやアパルトマンを訪ねて
「クリエーションシリーズ」をまとめてきた私たちは
あるときストックホルムからやってきたアーティストと出会いました。
彼女のアパルトマンは、さりげないやさしさを感じる空間で
その肩の力の抜けたリラックスしたセンスに、とても興味を持ちました。

そうして東京から、パリを経て、
私たちは新しいアーティストたちとの出会いに
胸をときめかせながら、ストックホルムへたどりつきました。

スウェーデンはモダンなデザインのインテリアや雑貨でも有名ですが
伝統をとても大切にしているところです。
アーティストたちのキッチンを訪ねてみると、かならず
家族から受け継いでいる古い食器やインテリアがありました。
また、なによりこころの豊かさを感じたことは
ほとんどのキッチンで、家族が毎日食べるためのパンを焼いていたことです。
それは特別なことではなく、長い歴史のうちに、自然に身についている習慣で
それぞれにオリジナルのレシピがあり、ホームメイドのパンを楽しんでいます。
豊かな自然、伝統、そして毎日を心地よくするための楽しい工夫
キッチンはストックホルムのアーティストたちの魅力にあふれていました。

ストックホルムはゆったりとした時間と
透き通るような空気、やさしい光に包まれた町。
そんな美しい町で、アーティストたちの暮らしを訪ねるうちに
「ていねいに暮らす」ということのかけらを
感じることができたように思います。

ジュウ・ドゥ・ポゥム

innehåll

Malin Palm

マーリンヌ・パルム / インテリアデザイナー

長い冬が終わると……マーリンヌのキッチンには

あたたかい春がやってきたことを教えてくれる

あわいピンクと白の花たちがテーブルにいけられる。

シンプルで気持ちのいいキッチンで、今日はティータイム。

かわいらしい色がお気に入りのラズベリークリームのお菓子と

マーリンヌが子どものころから使っているリンドベリのティーカップで。

ちいさなキッチンテーブルで、春の訪れをお祝いしましょう。

ふんわりうれしい春の訪れを感じる、ちいさなキッチンテーブル

マーリンヌは、ゴテンバーグのデザインスクールで出会ったオーサと一緒に、デザインユニット「デザイン・デザート」をスタート。最初の作品「スモーコンピサー」は、スウェーデン語で「ちいさな友だち」という意味。手のひらにぴったりおさまって、やわらかくて、なんだかほっとさせてくれるこのオブジェは、みるみるうちに人気者に。そんなだれからも愛される、やさしいオブジェをクリエーションしている「デザイン・デザート」の名前の由来は、ふたりともおいしいデザートが大好きだったから。

マーリンヌのキッチンは、細長いコンパクトな空間。調理台やシンクを一列に並べた壁は、目線のあたりまでミラーでおおったので、奥行きがあるように見える。反対側の壁面に置いたテーブルは、電気屋さんで使われていたものをリサイクル。テーブルの上のペンダントライトは、ランプシェードの骨組みそのままというスタイルが楽しい「デザイン・デザート」の作品。マーリンヌにとってお料理すること、そして家の中のものに考えをめぐらすことは、毎日の暮らしだけでなく、クリエーションへのスパイスにもなっている。

左上：このライトの名前は「裸の王様」。「デザイン・デザート」の作品は、名前もユニーク。
左ページ右下：ころんとした形がかわいいサボは、ちいさなころからのお気に入りで、いまでも同じタイプを愛用している。

＊デザイン・デザート / Design Dessert

Evalena & Johan Forslind

ユヴァリナ & ヨハン・フォーシュリンド / イラストレーター & アニメーター・画家

あたたかい日なたの香りがしてきたら、

もうそろそろ、おいしいパンのできあがり。

キッチンで毎日のようにパンを焼いているユヴァリナ。

家中に広がる小麦の香ばしい香りは、しあわせの香り。

朝ごはんのテーブルの主役は、もちろんユヴァリナの作ったパン。

いつものバターとチーズもわすれずに……

娘のリタも焼きたてをすぐに、大きなお口でぱくり

中上：ユヴァリナがミュージシャンとして活躍する友だちを描いたポートレート。その下にかけているのは、かぎ針編みのコットンのなべつかみ。色合いやモチーフがとてもスウェーデンらしい。左下：食器のほとんどが、のみの市ですこしずつ集めた70年代のもの。

左：ヨハンのおばあちゃんが使っていたというパンこね器。家族3代にわたってお世話になっているパン作りのためのパートナー。
中：リタもママのホームメイドのパンが大好き。レシピはP120を参考に。
右：この引き出しが、粉やバターなどの材料をこねあわせ、パン種を作るためのボール代わりになる。

お日さまのようにふっくら、おいしいパンの香りに包まれて

ストックホルムの南に位置するセーデルマルムは、人気のインテリアショップやギャラリー、アーティストたちのアトリエが立ち並ぶ地区。そんなセーデルマルムの東部は、特に「ソーフォー」と呼ばれてにぎやかな界隈。ユヴァリナとヨハンは、この「ソーフォー」でもはずれの森に近いアパルトマンに引っ越してきたばかり。娘のリタが、自然の中でのびのびと遊ぶことができるようにと、さわやかな木立に面したこのアパルトマンを選んだ。
1940年代に建てられたアパルトマンのキッチンは、当時のストックホルムの典型的なスタイル。それは調理台の下の収納のうち、ひとつを取り出して、パン種をこねるボール代わりに利用できるというもの。パン作りが得意なユヴァリナは、キッチンのその機能が気に入って、毎日のように新しいパンを作っている。リフォームにかける時間があまりなかったというダイニングルームは、壁の一面だけをピンクにペイント。ずっと屋根裏で眠っていたベンチも、あわせてピンクにして、かわいいアクセントになっている。

Katarina Brieditis

カタリナ・ブリディティス / テキスタイル・デザイナー

スープにクレープ、オムレツやポテトを使ったお菓子
ありあわせの材料でお料理するのが得意なカタリナ
でも、このキッチンでいちばんのシェフは12歳のレオ！
バレンタインの日にはハート形のピザを焼いてくれたり
オリジナルのスムージーをあみだしたり。
家族のために4種類もの料理を作ってくれる夜は、
音楽をかけキャンドルもともして、素敵なディナーのテーブルに。
そんなときにレオは「ママもおしゃれして！」とお願いするのだそう……

モダンなアパルトマンの中は、簡単たのしいリサイクル・ラボ

テキスタイルメーカー、リナム社や機能的で楽しいインテリアが人気の「イケア」のテキスタイルをデザインしているカタリナ。友だちと一緒に「DO-REDO」というニットをリサイクルするアイデアブックを出版したところ大反響で、ノルディスカ博物館で展示会をしたり、ワークショップをしたりと、活動の幅を広げている。カタリナがクリエーションでいちばん影響を受けたのは家族。テキスタイルの教師だったお母さんとおばあさんや、彫刻家のお父さんをはじめ、みんなからたくさんのことを教わったというカタリナ。

ストックホルムがヨーロッパ文化都市だった1998年に、建築展の会場だったこの界隈。カタリナが暮らすアパルトマンは、環境について考えられたモダンな建物。ここを建てたのは、アーランダ空港の管制塔をはじめ、最も開放的な空間を設計する建築家として有名なイェート・ヴィンゴード。引っ越してきてから手を入れることなく、そのまま使っているキッチン。インテリアはひいおじいさんが使っていたテーブルや、子どもの頃から使っていた長イスを水色にペイント。思い出の品を取り入れて、自分らしい空間に。

上：ロマンチックで素朴なベンチは、18世紀にスウェーデンで生まれたグスタフ調スタイル。「イケア」のためにデザインしたクッションを並べて。右中：植物が好きなカタリナは、セカンドハンドショップで見つけた水玉模様の耐熱プレートで、ちいさな苗を育てている。左下：赤い牛のマークとカラフルなストライプがかわいいArla社の牛乳のパッケージをプランターとしてリサイクル。

Eva Liljefors & Paul Kühlhorn

エヴァ・リリエフォシュ＆パウル・キュールホルン / グラフィックデザイナー

ゆったり広々としたキッチンは、まっ白なキャンバス。

テーブルやイスの黒、冷蔵庫のきれいな空色

ガラスの透明感のある色やプラスチックの食器のあざやかな色……

キャンバスに絵を描いていくかのように

少しずつ色やデザインを加えていったエヴァとパウル。

ぱっきりとした気持ちのよい色使いに、シンプルなフォルム

そして少しの遊びごころ……それは

フェローデザイナーズとして活動する、ふたりの作品のよう。

ゆったりリラックス、キッチンは毎日のヴァカンス先

スウェーデンのグラフィックデザイナーの中でも、いま特に注目のデザインユニット「フェローデザイナーズ」として活躍するエヴァとパウル。スウェーデン鉄道「SJ」のアートワークやスウェーデンのグッドデザイン賞のマークなどのほか、広告やカタログ、CDジャケット、そして映像なども手がけている。ふたりが生み出すデザインはスウェーデンだけでなく、ドイツなどでも人気。

娘のリリーと3人で暮らすアパルトマンの広々としたキッチンは、まるでヴァカンスを過ごすコテージのような雰囲気。さわやかな白でペイントした空間はとてもゆったりとしている。アルネ・ヤコブセンがデザインした大きなだ円形のテーブルとセブンチェアの黒が、この空間をきりりと引き締めている。そして色を添えるのが、イタリアのスメッグ社のレトロな冷蔵庫の空色。ランチは仕事の合間に外で食べることが多いので、夜はリリーと3人一緒にこのキッチンで過ごすのを楽しみにしているエヴァとパウル。キッチンに立つのは、料理が得意なパウル。リリーはパパの作るピザが大のお気に入り。

左下：窓辺に置いた味のある木のテーブルは、スウェーデンの田舎で見つけたもの。もともと洗濯場で使われていたもので、2枚の板のあいだから水を流していた。壁にかけているのは「フェローデザイナーズ」の作品で、ドイツのデザイン雑誌に、ブランドパワーをテーマに発表したうちの1枚。

＊フェローデザイナーズ / Fellow Designers

Marita Forsberg & Erik Soukkan

マリタ・フォシュベルク＆エリーク・スーカン / グラフィックデザイナー

ヴァカンスになると、マリタとエリークは
スウェーデン中をあちこち車で旅しては、のみの市めぐり
帰ってくると、たくさん働いた車はもうぼろぼろ。
でも、車の中には、ふたりが探しあてた宝物と
とてもゆかいなヴァカンスの思い出でいっぱい！
こうして集まってきた、色や素材もさまざまな仲間たち
キッチンは、いきいきとした楽しさがあふれている。

きれいなブルーたちは、7つの海の色のよう

いつか家族でカラフルな色と光にあふれたインドを旅するのが夢というマリタとエリーク。引っ越してきた当初は、どの部屋もまっ白だったこの家を、部屋ごとにふたりの好きなあざやかな色にペイント。お気に入りの色が変わると、すぐに壁の色も塗り替えたくなってしまうというふたり。あざやかな赤だったリビングを、最近チョコレートブラウンにペイントしたばかり。壁の色にあわせて家具のレイアウトも変えたくなるので、模様替えもその時々に楽しんでいる。きれいなブルーやグリーンのバリエーションでまとめたキッチンの家具は、セカンドハンドショップやのみの市で見つけたものばかり。マリタのおじいちゃんが作った木のイス、インドの食器棚、そしてムラノガラスのシャンデリアなど、素材も色もさまざまな個性豊かな家具が集まって、とてもにぎやか。毎日の食卓には、ふたりの娘たちビッケとホリーの大好きなミートボールやニシンを使ったスウェーデン料理が登場。おいしい料理が生まれるキッチンは、いきいきとしたパワーに満ちあふれている。

Karin Jönsson & Mattias Tegnér

カリン・ヨンソン＆マティアス・テグネール / グラフィックデザイナー & ミュージシャン

カリンとマティアスふたりの手作りキッチンには
窓のそばやシンクの上など、ちょっとしたスペースに
いきいきとしたグリーンやお花が置かれている。
この植物たちはすべて、カリンのパパとママが
スウェーデンの南部から苗や挿し木を送ってくれたもの。
いまではこのキッチンに、すっかり根付いている
フレッシュな緑は、目もこころも和むキッチンの友だち。

手作りキッチンは、おいしそうなブラウンカラー

お料理が得意なカリンのことを、マティアスは「まるで食べ物で絵を描いているようなんだ」というほど。レシピブックを読むよりも、市場でフレッシュな野菜や魚を目の前にしているときのほうが、お料理のインスピレーションがわいてくるカリン。市場が少ないストックホルムだけれど、スウェーデン南部に住む両親が育てている有機野菜で、いつもおいしいメニューを作っている。

息子のシクステンが生まれるころ、このアパルトマンに引っ越してきたカリンとマティアス。キッチンは、配管からすべてをふたりでリフォーム。全体の雰囲気を決めるカラーリングは、白を基調にマティアスの好きなブラウンを使うことに。バリエーションも豊かなアルクロ社のペンキから、チョコレートにカフェオレ、クルミの色……どれもおいしそうな色合いのブラウンを選んだふたり。そして家具の職人だったおじいさんが作った木のお皿や、両親から譲ってもらった木のテーブルなど、素朴で美しい木目のインテリアが加わって、森の奥深くのように落ち着いたキッチンが生まれた。

右上：マティアスのおばあさんから譲ってもらった、まっ赤なキャセロールは、そのまま食卓に出しても素敵。イッタラ社のためにティモ・サルパネヴァがデザインしたこの鍋は、当時のものはめずらしく、最近復刻版が登場したほどの人気ぶり。毎日の食卓で使われているのが、繊細なラインで花が描かれたお皿。スウェーデンの有名な磁器の窯元、グスタフベルグで作られたコレクション。

Karin Södergren

カリン・セーデルグレン / ファッションデザイナー

カリンの選ぶインテリアは、すべてドキッとするほど個性的！
大きなテーブルには、蛇口とコップ柄のユニークなクロス
窓のロールカーテンは70年代のプリント。
ぞうたちが並んだスヴェンスク・テンのトレイや
おいしそうなプルーンをリンドベリが描いた食器セット。
キッチンだって、ファッションと同じ
色やモチーフを自在に合わせて、楽しさいっぱい。

Ekologisk
lättmjölk
mild lättyoghurt
FÄBOD
KNÄCKE

ゆかいなプリントや、個性的な色たちの楽しいパーティ

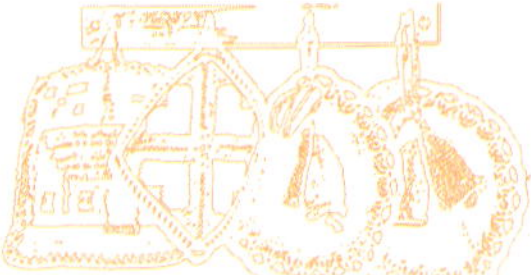

ストックホルムの中心地を離れ、緑いっぱいの森と海が広がる町に引っ越してきたばかりのカリン。ストックホルムではめずらしくこの海岸は、夏に海水浴もできる！スウェーデンらしい自然に囲まれ、このアパルトマンの気さくな住人たちに出会って、いまでは家に帰るのがカリンのいちばんの楽しみ。動物や植物をモチーフにしたテキスタイルが人気の「スヴェンスク・テン」や、スウェーデンを中心に洋服や雑貨を展開している「フィリッパ・コー」のためにテキスタイルをデザインしているカリン。そして友だちのピアと一緒に「カリン・オー・ピア」として洋服も手がけている。

二部屋に分かれていたキッチンとダイニングの壁を壊して、ひとつのスペースに作り替えたカリン。もともと茶色いベニヤだった調理台の下の収納の扉は、すべて白くペイントしようと思ったけれど、ところどころ茶色く残してモザイク風に。土曜日には10人近くの友だちを招いて、得意なココナッツミルク入りのレッドカレーをふるまうカリン。テーブルのまわりに並んだ、個性豊かなイスたちがゲストをお出迎え。

左中＆右中：友だちからプレゼントされたことをきっかけに、陶器の鳥をコレクションしはじめたカリン。いちばんのお気に入りは窓辺に置いたピンクの小鳥。左ページ右上：イケア社のキャンドルホルダーのまん中に置いた、手の形の白い陶器は塩を入れる小皿として使っている。

＊カリン・オー・ピア / Karin och Pia

Ingela P. & Peter Arrénius

インエラ・P ＆ペーター・アレニウス / イラストレーター ＆ テレビ編集者

スウェーデンの人たちはみんなキャンディーが大好き
スーパーでも、カラフルで味もさまざまな
キャンディーが詰まった引き出しがずらり並んでいる。
さぁ、好きなだけ、ざくざくとスコップで袋に詰めて……
でも7歳のイエペールと3歳のユアヌは食べ過ぎてしまうから
土曜日をキャンディーの日に決めたインエラ。
今日は土曜日。袋の中にたっぷり詰めたキャンディーを
キッチンテーブルで広げて、うれしそうなふたり。

ちいさなオブジェを並べて、楽しいキャンディーバー

インエラとペーター、そしてふたりの男の子が暮らすのは、ストックホルムの中心地からすこし外れたところにある庭付きのゆったりした一軒家。家の中心になっているのは、やっぱり広々として、あたたかいキッチン。家全体をリフォームする時間がまだとれないけれど、家族が集まるキッチンは心地よい空間になるよう、いちばんに手を入れたというインエラ。天井と床の板は、すべて白くペイントしたので、窓から入ってくる光で輝くよう。

いちばんのインテリアは、壁に作り付けた飾り棚の上にずらりと並ぶオブジェたち。ヴィンテージの食器やトレイ、食品パッケージにさまざまなフィギュアなど、50年代から最近にいたるまでのものが集まっている。「どれも特別なものやめずらしいものでもないの」というインエラ。でも、ここに並んだものはすべて、毎日の暮らしの中にとけ込みながらも、特別な魅力を感じるデザインのものばかり。グラフィカルなデザインと色使いで、親しみやすいイラストを描くインエラが、インスピレーションを受けるコレクション。

左ページ左上：インエラのイラストをマグネットシートに貼り付けて、手作りしたオリジナルのマグネット。中下：サイドボードの上にもインエラのお気に入りが並ぶ。彫刻作品は、パリに住んでいたインジェラのお母さんをモデルに、フランス人アーティストが制作した作品。

Maja Lindahl

マヤ・リンダール / インテリアデザイナー

かわいいものやヘンテコなもの、おもちゃに、
古いものや新しいもの……とにかくなんでも
ちいさな雑貨を集めるのが大好きというマヤのことばに
思わず「うん、うん」とうなずいてしまう女の子も多いのでは？
お仕事で映画の小道具用に見つけたオブジェを
やっぱり手放しづらくなって、自分のお部屋に持ち帰ってくることも。
ぱっきりとした色のハーモニーが楽しいキッチンにも
あざやかな赤と黒と白のオブジェが集まっている。

まっ赤なトマトも、まるでこのキッチンのためのインテリア

ストックホルムのベックマン・デザインスクールを卒業後、ミラノのデザインスタジオで経験を積んで、フリーランスになったマヤ。スウェーデンの家具メーカー、NC-Mobler社のためにイス「スティラ」をデザインしたり、映画のための小道具を揃えたりと幅広く活躍している。映画の仕事はすこし専門が違うようにも感じるけれど、それは雑貨好きなマヤだからこそ。それに自分のデザインの仕事への刺激になるので楽しんでいるというマヤ。

アトリエを兼ねた広いリビングとベッドルーム、そしてちいさなキッチンのついたマヤのアパルトマン。ベーシックな白いキッチンの床は、黒に近いダークブラウンのフローリング。シンプルな空間にちりばめられた、赤いオブジェがポイントになっている。トラディショナルな型のイスやマーク・ニューソンがデザインした水切りかごも赤を選んだ。そして白い冷蔵庫の上は、ちいさな雑貨が好きなマヤらしい世界。それぞれ女の子と男の子になっているソルト&ペッパーは、おじいちゃんとおばあちゃんから譲ってもらったもの。ふた付きのポットやキャンプ用ライトなど、マヤのおめがねにかなったオブジェが集まっている。

左ページ左上：リビングの壁面に貼っているキャンバス地は、スウェーデン軍が雪の中で使う白いカモフラージュのテキスタイルをマヤがアレンジしたもの。アンブレラ型のランプシェードもマヤの作品。中上＆右上：マヤの作ったニットのボール。スウェーデンで古くから作られていたおもちゃで、マヤはお母さんから作り方を習った。中下：船乗りだったマヤのおじいちゃんが使っていた、革のケース入りのナイフ。

Annika Huett & Ulf Nilsson

アニカ・ユエット＆ウルフ・ニルソン / イラストレーター＆フォトグラファー

シナモンの香りで包まれる、まっ白なキッチン。
今日のおやつは、いちばん上のお姉ちゃん、ミランダの手作り。
キッチンでのお手伝いも熱心なミランダは、お料理するのが大好き。
オーブンの前でシナモン・デニッシュの焼き上がりをチェック。
妹のドリスとリュットは、テーブルでおまちかね。
とりとめもないおしゃべりが続く、楽しいキッチンで
さぁ、焼きたてのふかふかをいただきます！

のびのび自由に、自然体のカントリーキッチン

イラストレーターのアニカとフォトグラファーのウルフの住む一軒家は、おしゃれなブティックも多いセーデルマルム地区の静かな通りに面している。この通りには、19世紀に建てられた木造の美しい家が、一戸ずつ違う色でペイントされて並んでいる。カラフルな家たちを眺めながらお散歩するのも楽しい通り。その中であわいグリーンにペイントされているのが、アニカとウルフ、そして3人の娘たちが暮らす家。外壁にアニカがタイルを使って、モザイクで描いたネームプレートが目印。裏庭のガレージをリフォームして、モザイク用のアトリエを持っているアニカ。古いお皿を使ってモザイクをほどこしたボードで、ローテーブルを作ったりもしている。

この家の中でも特に暗かったキッチンは、できるだけたくさんの日ざしが取り入れられるようにと、アニカとウルフはふたりで壁を壊して、天井から床まで白くペイントしなおした。冬になると午後3時ごろには太陽が沈んでしまうストックホルムでは、光を反射して明るく見える白はインテリアでもいちばん人気の色。

Liselotte Watkins

リズロット・ワトキンス / イラストレーター

テーブルの上のアイドル、不思議なほほえみの人形は
ゴトランドののみの市で見つけたポプリポット。
インテリアもファッションもノスタルジックな味わいが好き
身の回りにあるものはどんなものでも
ちょっと古いくらいのほうが愛着を感じるリズロット。
カラーリングはグレーがかったベージュ、グリーン、ブラウン
リズロットのキッチンは、70年代の北欧スタイル。

ちいさなサロンのような、ノスタルジック・キッチン

スウェーデンのちいさな村に生まれて、18歳でアメリカのアートスクールに留学。ニューヨークで15年間イラストレーターとして活動して、ストックホルムに戻ってきたリズロット。キッチンの壁にかけられた女性のポートレートは彼女の作品。この存在感あるイラストが、キッチンの主役のよう。そして、この女性と向き合うように飾られているひまわりのタペストリーは、リズロットが生まれるときにお母さんとおばあちゃんが一緒に作ってくれたもの。
白いキッチンの壁の一面に貼った壁紙は、アムステルダムののみの市で見つけた60年代のもの。もともとはバスルーム用だけれども、色もモチーフも美しくて、リズロットはダイニングに使うことに。18歳のときに買ったクロスモチーフのカーペットや「マリメッコ」のジャングルプリントのクロス、のみの市で見つけたフラワーベースやオブジェと、この部屋にあるものはどれもユニーク。主張が強いもの同士が不思議とマッチして、リズロットらしい世界を作り上げている。

リビングルームのおおきなテーブルでは、友だちとのディナーを楽しむことも。金属のプレートを天板にしたテーブルは、友だちの作品。もともとは雑誌の編集部のミーティング用に使われていた。壁にディスプレイしているモノクロ写真は、モード雑誌の中で気に入ったページを拡大したもの。

Gabriella Theiler & Joakim Sveder

ガブリエラ・ティラー＆ヨアキム・スヴェダー / 翻訳家 & シェフ

もみの木の深いグリーンが、窓から見えるキッチン
冬が長くてきびしいスウェーデンだけれど
いつでも緑に包まれるキッチンはいつでも心地のいい空間。
ちいさなころからキッチンが大好きだったというガブリエラ
いまでも、キッチンテーブルでのおしゃべりがいちばんくつろげる。
そのテーブルの下では、子どもたちがおもちゃで楽しそう。
きっと大きくなったら、この子たちも
楽しい思い出とともにキッチンが大好きになるでしょう……

左下：「サーモン・ロール」は、ヨアキムのオリジナル。豊富で新鮮なシーフードを使ったスウェーデンならではのメニュー。このレシピはP120に。右上：テーブルやイスはガブリエラのおじいちゃんから譲り受けたもの。のみの市で見つけた70年代の吊りランプが、テーブルの上で輝いている。

もみの木々たちに守られている、ブルーグリーンのキッチン

ストックホルムの中心部からすこし離れたのどかな町に暮らすガブリエラとヨアキム、そして息子のヴィンセント。ガブリエラは5カ国語をあやつる翻訳家、そしてヨアキムはおしゃれなレストラン「アクア」のシェフ。ヨアキムはレストランでの仕事の後、家族のために夕ごはんの支度をするのがいちばんの楽しみ。手際もあざやかにおいしい料理を自分たちのために作ってくれてうれしいというガブリエラ。でも、ときにはガブリエラもキッチンに立って、新しいレシピにチャレンジする。

キッチンの中で印象的な色は、きれいなターコイズブルー。この戸棚のひとつは、キッチンで遊ぶのが大好きなヴィンセントのおもちゃ入れになっている。ガブリエラのママが作ってくれたコットンの大きなラグを敷いた床はあたたかそう。壁に貼られている大きなヨーロッパの地図には、ふたりが旅した先やこれから行きたい国、それからお友だちが住んでいる町をピンでマーキングしている。まるでヴァイキングのように地図をながめながら、次はどこの国へ行こうかと楽しみにしている。

Lotta Kühlhorn

ロッタ・キュールホルン / イラストレーター

ロッタの家族は、みんなお料理が大好き。それぞれの受け持ちは……

いちばん上のお兄ちゃん、ファビアンはベジタリアン

ロッタも野菜が好きなので、ふたりは野菜を使ったメニュー。

いちばん下のフォルケはケチャップで味付けしたお料理

パートナーのホーカンは、いろんな種類のパンを作ってくれる

そして16歳のシッゲは、みんなが作ったものを味見！

こうして、みんなで作ったにぎやかな食卓から、

ロッタのクリエーションのインスピレーションも生まれている。

左上：ロッタのおばあちゃんから贈られたレシピブックは、お料理の参考になるだけでなく、ロッタのお仕事のイマジネーションをふくらませるアイデアブックにもなっている。左中：コレクションしているスティグ・リンドベリの「ベルサ」シリーズ。紙コップは、2005年にマクドナルドのキャンペーンで使われていた限定カップ。

スウィートなやさしさに包まれる、お料理好きな家族のキッチン

長い間戦争がなかったスウェーデンには、古い建物がたくさん残されている。本の装丁なども手がけるイラストレーターのロッタが家族と住むのも、1787年に建てられたという歴史のある一軒家。この家で暮らすのは、ロッタとご主人、それから3人の元気な男の子たちの5人。

ここに住んで、もう5年になるけれど、広々としたキッチンのリフォームはいまも進行中。いちばんはじめに手をつけたのは、壁の一面をベビーピンクにペイントすること。壁の中央にはロッタの作品をディスプレイ。最近手がけたのは、窓のある壁面の壁紙貼り。ノスタルジックなタッチで暖炉やティーセットなどが描かれた壁紙は、ロッタがニューヨークののみの市で見つけた、アメリカの40年代のもの。アクセサリーを並べるショーケースのような棚に、のみの市での掘り出し物や家族から受け継いだ宝物のような食器が並んでいる。ロッタ以外は男性ばかりだけれど、少しずつロッタのスタイルになっているキッチンは、とても女性らしいロマンチックな雰囲気。

Susanna Nygren Barrett & Henrik Nygren

スザンナ・ニーグレン・バレット＆ヘンリック・ニーグレン / グラフィックデザイナー＆アートディレクター

さんさんと降りそそぐ日ざしが気持ちのいい朝

目の前の木々を訪れる小鳥たちに「おはよう」のあいさつをしたら

スザンナとヘンリック、そして赤ちゃんのエルザの朝ごはん。

お仕事が忙しかったスザンナだけれど

ママになって、家で過ごす時間が長くなった。

太陽とモダン・デザインを愛するスウェーデンらしいキッチンで

家族みんなで過ごす時間が、なによりもしあわせ。

お庭からの風と太陽の光を楽しむ、ピュアなテーブル

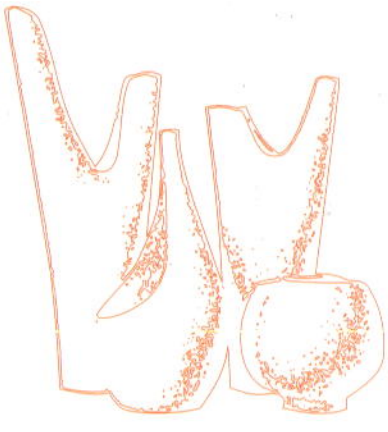

「庭を眺めながら、朝ごはんできることが、このキッチンのいちばんの魅力」という、スザンナとヘンリックの家。ストックホルムの中心部にある閑静な地区に建つ古いアパルトマンには、庭に面した大きな窓から心地よい風が入ってくる。シンクとレンジ台が向かい合わせになっているキッチンは、とても使いやすそう。そのキッチンを抜けると、いっぱいの光の中、輝くような白いダイニングテーブル。イスはデンマーク出身のデザイナー、アルネ・ヤコブセンのアントチェア。そして、天井にはミッドセンチュリーを代表するデザイナー、ヴェルナー・パントンのペンダントランプ「フラワーポット」が吊り下げられている。スザンナはグラフィックデザイナー。そしてストックホルムの近代美術館のグラフィックチャートのほか、さまざまなカタログやアートブックを手がけるヘンリックは、いまストックホルムで注目されているアートディレクター。デザインの最先端で活躍するふたりらしい、コンパクトながらも美しいデザインのインテリアが映えるキッチン。

左上：収納棚の扉に取り付けたフックには、スタイをひっかけて。「ティオ・グルッペン」のあざやかな色は、このキッチンの中でも目をひく存在。右上：白いクロスが描かれた赤いプレートは、友だちのデザイナー、ピア・ヴァレンの作品。右下：エルザのベビーチェアは、1965年にBen af Schunltenがデザインした、フィンランドのアルテック社のもの。

Citrons
Oranges
ICE CHEST

Camilla Martelius

カミーラ・マーテリウス / デザイナー

ミッキーマウスに長靴下のピッピ、ムーミン、ウォレスとグルミット
そしてマリリン・モンローにオードリー・ヘプバーン。
50年代のアメリカのヒロインや、みんなに人気のキャラクターたち
もちろんカミーラの大好きなわんちゃん、モーリスもあちこちに。
テーブルの上に並べたお菓子も、本当はカミーラが作ったフィギュア
まるでここはおもちゃ箱の中のキッチンみたい。
まっ赤なトースターや水玉模様のマグカップまでもが、
いまにもしゃべりだしたり、ダンスをはじめそう！

かわいいキャラクターが集まった、おもちゃ箱キッチン

カミーラは、にっこり笑顔がかわいい犬のモーリスなど、オリジナルのキャラクターをモチーフにした雑貨のデザイナー。モーリスのモデルは、友だちが飼っていたちいさなブルテリア。実は犬が苦手なカミーラだけれど、モーリスは別。大好きなモーリスをモチーフに、いろいろなグッズを展開して、いまやスウェーデンはもちろん、スイスやデンマークなどでも人気者。

学生のころから遊びにきていたセーデルマルム地区で暮らしたいという思いをかなえて、カミーラはがっしりした石造りのアパルトマンに越してきた。ここは1881年に建てられた、歴史的建造物に指定されているほど古い建物。でも部屋に一歩入ると、そこはカミーラの大好きなアメリカン・グラフィティの世界！キッチンは収納の扉をきれいなブルーでペイント。棚の上から壁面まで、カミーラは大好きなオブジェでデコレーション。壁に貼っているフランスの地図は、カミーラが子どものころにやはりキッチンに飾っていたもの。いたるところに個性豊かなキャラクターたちが集まって、まるでギャラリーのようなキッチン。

中上：いつでもにっこりしている口元が愛らしいモーリスくん。右上：まっ赤なトースターは、キッチンの中でいちばんのお気に入り。左ページ左上：テーブルの上に並べたカラフルなお菓子は、カミーラが卒業制作で作ったもの。

Åsa Ohlsson

オーサ・オルソン / インテリアデザイナー

オーサのキッチンは、ふわふわやわらかいクリームと
フレッシュないちごがのった、まるでショートケーキのよう。
まっ白にオーサがペイントした、清潔感のあるキッチンに
ロールカーテンやペンダントライト、
キュートなストロベリーピンクがアクセント。
ころんと丸い形のラナンキュラスのそばに、
ちょこんと座った、うさぎのオブジェもやっぱりピンク。

右下：コルセットのイラストが描かれたお皿は、友だちの陶芸家、リザの作品。アーティスト仲間の作品が暮らしにとけ込んでいる。

＊デザイン・デザート / Design Dessert

ピンクのシェードの下、ゼラニウムもうれしそう

フローリングの床から、壁や棚をまっ白にペイントするところまで、すべてオーサひとりで手がけたキッチン。がっかりしてしまうくらい暗かったキッチンを、オーサは自分の好きな空間になるよう、3カ月間リフォームに取り組んだ。そして最後のとっておきは、大好きなオブジェでデコレーションすること！3連のペンダントランプは、キッチンテーブルにあうと思い、オークションで手に入れたもの。
オーサはマーリンヌと一緒にデザインユニット「デザイン・デザート」として活躍中のデザイナー。キッチンには彼女たちの作品は見当たらないけれど、ゲストを招くリビングに取り入れられている。そのうちのひとつ、テーブルの上で不思議な光を灯しているのが、細い鎖を編んだランプシェード。おもてなしのときにはスウェーデンで作られたシンプルな白いお皿に、日本から持ち帰ったグリーンのカップを組み合わせて使うのがお気に入り。
「デザイン・デザート」をスタートする前に北海道でデザインの研究をしていたオーサ。日本のことがとても好きになったのだそう。

Adam Dalhberg

アダム・ダールベリ / パティシエ

おはようとのびをすると、すぐ目の前にはキッチン

ベッドルームのコーナーにこぢんまりとある、

不思議なガラス張りのボックス・キッチン

このキッチンの持ち主、アダムはパティシエ。

お料理のプロとして、いつもキッチンの

そばにいられるなんて夢のよう。

それに、おいしい香りで目を覚ますことができるなんて

いちばんしあわせな朝かもしれない……

おいしいお料理ができるには、大きさなんて関係ない！

ちいさなころから、料理が得意だったお母さんと一緒に、お菓子を作っていたアダム。すっかり料理のとりこになってしまい、パリやロンドンで経験を積んできた。そして、ストックホルムでいちばん人気のあるレストラン「Bon Lloc」に勤め、いまはパティスリーを専門にしている。人気のレストランなのでとにかく忙しく、仕事のある日は自分のために家で料理はできないほど。だから普段の冷蔵庫の中は、チーズにバター、サラミくらいしか入っていなくてさびしい。でも時間ができると、友だちを招いてディナーをするのが楽しみ。友だちにもシェフが多いので、そのメニューは豪華！このちいさなキッチンの中で2、3人が一緒に料理にとりかかり、ほかのゲストは隣の部屋でワインを飲んで楽しむ。

はじめて見たときには、キッチンがちいさすぎるとアダム自身も思ったけれど、あまりにも美しい部屋だったので、ひとめぼれしてしまったそう。キッチンはできるだけ使いやすいように、必要最低限のアイテムだけを置き、廊下に取り付けた棚には、玄関まで調理器具がずらりと並んでいる。

Clara & Alexander Baron

クララ＆アレクサンドル・バルーン / 建築家

クララとアレクサンドルは建築家カップル
ふたりが暮らすのはどんなインテリアのアパルトマン？
デザイン・オブジェもアンティークも手作りの家具も
さりげなく組み合わされて、落ち着いている。
こころもからだも、のびのびと自然体で過ごせそう。
おやすみの日のランチは、イタリア人の両親から
クララが教えてもらった、レシピでお料理。
おおきなテーブルを囲んで、ピザやパスタを取り分けて

こころもからだも、のびのびとナチュラルなキッチン

寒さが厳しく長い冬がやってくるとスウェーデンの人たちは、昔から家での楽しみのひとつとして大工仕事に親しんでいる。アレクサンドルも大工仕事が得意。ストックホルムから車で1時間ほどの距離にあるサマーハウスにあるアトリエで、家具作りを楽しんでいる。この家のほとんどのインテリアは、デザインから制作までひとりで手がけたものばかり。キッチンのリフォームも、アレクサンドルが中心になって行った。イームズのテーブルの脚に、厚みのあるボードを載せたダイニングテーブルも、部屋の大きさにあわせて彼が作ったもの。

クララのお父さんは50年代にイタリアから移住してきた。窓辺に置いたイタリア産の大理石、お母さんがパスタを量るときに使っていた、フィレンツェ生まれの古いはかり。クララの大切にしているものには、イタリアのルーツを感じるものが多い。お料理でもピザやパスタが定番で、冷蔵庫にはいつもパルメザンチーズとサラミが入っている。そしてフレッシュなバジルは、テーブルの上のプランターから。

Pia Simonsen & Daniel Jansfors

ピア・シモンセン＆ダニエル・ヨンスフォーシュ / ファッションデザイナー＆シェフ

ピアのルーツはノルウェー。お母さんとおばあさんが
ノルウェーの伝統的な手編みで作ってくれた
ひざかけとクッションはいつもそばに。
ちいさなころから家で使っていた食器やレシピブック……
家族を感じるものが、このキッチンにはたくさん。
のみの市やセカンドハンドショップで見つけた掘り出し物など
キッチュだけれど、どこかなつかしいものが集まって。
色もスタイルもさまざまにミックスしたカクテル・キッチン

BANANIA
JELLY

どこかなつかしさのある、キッチュなオブジェたちのカクテル

ピアは友だちのカリンと一緒に、「カリン・オー・ピア」というコレクションを発表しているデザイナー。クリエイティブな感性を刺激されるおしゃれなセーデルマルムにあるアパルトマンに、パートナーのダニエルと暮らしている。キッチンに立つのが多いのは、シェフとして活躍するダニエルのほう。ストックホルムの中心にあるヒュートリエットの市場で買ってきた新鮮な食材で、オリジナルレシピに腕をふるう。
キッチンのリフォームは、ふたりで壁を壊すところからはじめて、いまでは広々と使いやすいダイニングキッチンに生まれ変わった。調理台の上に取り付けた3段のオープンシェルフには、食器がたくさん。その中でもお気に入りには、2段目の中央に並べた黒のグラデーションが美しいガラス食器のシリーズ。イッタラ社のコレクションで、ピアの両親から譲ってもらった。18世紀に生まれたクラシックなスタイルのコンポート皿は、ふたりのコレクション。窓辺に並んだガラスの繊細な色とカッティングが、光をうけてとてもきれい。

左上：ダイニングテーブル脇の壁には、ピアがえんぴつで軽やかに描いた小鳥たち。ダニエルの作るおいしい料理が並ぶテーブルに集まってきたよう。右下：オレンジジュース「オランジーナ」のボトルを、オレンジ色の糸でぐるぐる巻きにして花器に。

＊カリン・オー・ピア / Karin och Pia

Pascale Cottard-Olsson

パスカール・コタール-オルソン / ギャラリーキュレーター

ことことじっくり煮込んだ、牛肉の赤ワイン煮

寒い季節にはぴったり、おいしさとろける

フランス料理の定番が得意というフランス人のパスカール。

パートナーのビヨルンはスウェーデン人だから

いまでは冷蔵庫の中もすっかりスウェーデンに。

赤い牛さんマークのArlaのミルクに

Kallasのバターに、グレナデンシロップのSaf

そして毎日欠かせないのは、クネッケ・ブロート！

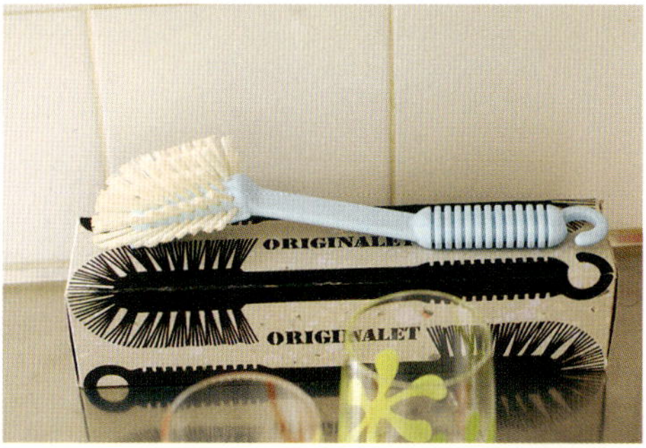

デザインの魅力のとりこになったキッチン

パスカールとパートナーのビヨルン、そして息子のエドワードとヘンリック、家族4人で一緒に暮らすのは、20世紀のはじめに建てられたアパルトマン。子どもたちが通うフランス人学校にも近い、エステルマルムの中心にある、レンガ作りの瀟洒な家が並ぶ、おしゃれで美しい界隈。

モダン・デザインが大好きなパスカールは、スウェーデン・デザインのいまを感じる、アーティストを紹介するギャラリーをスタートさせた。

パスカールとビヨルンのシンプルなアパルトマンのインテリアは、毎日の暮らしでも身近にアートをという思いから、ギャラリーでコラボレーションしたアーティストのものがほとんど。キッチンでもスポンジやブラシにいたるまで、お気に入りのアーティストの作品！その中でも、スウェーデンを代表するクリスタルブランド、オレフォス社のために、いろいろなアーティストがデザインしたグラス・シリーズは特にお気に入り。その日の気分にあわせたグラスを選んでワインを飲む時間が、いちばんのしあわせ。

左上：スパイスとシナモンがきいた「ペッパー・カーカ」は、スウェーデンのクリスマスの定番クッキー。右上：ピンクのゾウは、Owe Gustafssonの絵本から生まれ、70年代にはテレビアニメにもなったキャラクター。型抜きした2枚の板を組み立てるこのゾウのオブジェは、ギャラリーで販売している「パスカール・コレクション」のひとつ。

Karolina Sparring & Jonas Rönnholm

カロリーナ・スパーリング＆ヨナス・ローンホルム / シェフ & ミュージシャン

たまごも焼けなかった女の子、カロリーナが
いまではサラダが人気のビストロのシェフに！
そして新しい味と出会いたくて、旅に出たカロリーナ。
ニカラグア、アンダルシア、イスタンブール、キューバ
そのときに持ち帰ったオブジェとおいしかった思い出は、
しっかりと、このキッチンにも息づいている。
今日のディナーも、世界の味が集まったテーブルに。

右ページ右上：ビストロでも人気メニューのサラダは『SALLADER MED AROM（AROMのサラダ）』というレシピブックとして出版したほど。左下：カロリーナがレースペーパーにぐるぐる渦巻きに書いてくれた楽しいレシピ。詳しくはP120。

新しい味に出会う旅で見つけたスパイスが、インテリアにも効いたみたい

ギャラリーやおしゃれなブティックが集まるセーデルマルム地区の北には、ランチにぴったりのレストランもたくさん。世界中から仕入れた食材を使ったサラダがおすすめという、カロリーナのフレンドリーなビストロ「AROM」も、その中の一軒。カロリーナはお店の近くにある大きなアパルトマンに、ロックバンドのドラマーとして活動するパートナーのヨナスと息子のフランクと3人で暮らしている。

いまではお店まで持っているカロリーナだけれど、料理に興味を持つようになったのは遅かった。お母さんはあまり料理に熱心でなかったので、キッチンに近寄ることがなかったというカロリーナ。17歳のときに簡単なたまご料理もできないことに気がついて料理学校へ。そしてストックホルムの有名なレストランや、旅に出て経験を積んできたカロリーナ。キッチンの中でもマリアさまのフィギュアや食器など、旅先から持ち帰ったものをいまでも大切に使っている。彼女の作る料理と同じく、いろいろなテイストの混ざり合ったキッチンは軽やかな楽しさに満ちあふれている。

Jenny Hellström & Alexander Ruas

ジェニー・ヘルストレーム＆アレクサンドル・ルアス / ファッションデザイナー ＆ フォトグラファー

コンパクトだけれども、ジェニーがアイデアを出して
アレクサンドルがすべてを手がけた、ふたりのキッチン。
コーナーを利用した飾り棚や、シンクの横に作った調理台は
動きやすいように、危なくないようにと、角っこは丸く
モザイクでおおったテーブルも、ころんとした形に。
ちいさな窓辺にサイズもぴったり、光が入るよう取り付けた。
そんなキッチンには、家族へのやさしさと工夫もいっぱい

上：キッチンの上に取り付けたインドからやってきた木の棚には食器がぎっしり。ピンクのランプシェードは、キッチュなオブジェが見つかる「カクテル」で見つけたもの。旅好きでエキゾチックなものが好きなふたりらしいインテリア。

丸みのあるフォルムは家族へのやさしさ

ストックホルムはたくさんの島が集まった水の都。そのうちのひとつ、ロングホルメンは250年使われていた刑務所があったところ。いまでは刑務所をそのままいかしたユニークなユースホテルや博物館になっている。この島の東側から眺めるガムラ・スタンの景色も美しいので、ツーリストも多い。そんなロングホルメンの水辺に面した近代的なアパルトマンに住むジェニーとアレクサンドル。ここはもともとアレクサンドルがひとりで住んでいた部屋。ふたりで住むことになったときに、ちょうど空いていた隣の部屋をあわせて、広いスペースにした。

ストックホルムにはじめてのブティックもオープンしたばかりという、ファッションデザイナーのジェニーはショーやコレクションでいそがしい毎日。フォトグラファーのアレキサンドルも同じく取材で家をあけることが多く、食事は簡単なもので済ませることがほとんど。でもふたりともお料理をして友だちを招く時間を持つことを楽しみにしている。中国に旅したときに気に入った蒸し料理を、自分でも試してみたジェニー。いまでは家族にも友だちにも喜ばれる一品に。

Josefine Haamer von Hofsten

ジョセフィーヌ・ハーマル・フォン・オールステン / 作家、エディター

テーブルのそばの窓から見えるのは、おだやかな海

さわやかな太陽の季節になれば

波の音が聞こえるテラスで、いつでもピクニック。

あたたかい木のぬくもりとモダンさを感じる

とっても広いダイニングキッチンで、ヒューゴと

まっ黒でおおきな猫のヤンソンが元気いっぱいに走り回る……

海と太陽と木と、スウェーデンらしい暮らしの形。

JOZO
SALT
Salt+

A. Vogel
JOZO SALT
JOZO SALT
SALT
Med Jod
Fint Hushallssalt
Maldon
sea salt
Salt+
Hav

おだやかで美しい海を眺める、さわやかなひととき

郊外に向かう鉄道で、ストックホルムからおよそ30分。自然史博物館のあるエーケスベルガという町は、昔ながらのスウェーデンらしい木の風合いの家々が立ち並ぶ美しいところ。ジョセフィーヌとペーター、それから息子のヒューゴが暮らすのも、木のあたたかみのある一軒家。目の前に広がるおだやかな海が、なによりのぜいたく！部屋を仕切る壁を壊し、室内を広々と使えるようにリフォームすることにしたふたり。ほとんどオーダーメイドでつくりあげたキッチンの中でも、特にこだわったのがシンク。何度も話し合って、使いやすい深さにたどりついた。

ヒューゴが生まれてから、赤ちゃんの食べものは70年代からほぼ変わっていないということに気がついたジョセフィーヌ。そして友だちのマリアと一緒にまとめたのが『ANNA & HUGOS BARNMATSBOK（アンナとヒューゴのレシピブック）』。いつも毎日の暮らしからインスピレーションを得ているというジョセフィーヌ。ペーターがイラストを描き、共著でまとめた『Flytta - hemifrån-boken』は引っ越しのためのアイデアブック。

Nina Beckmann & Måns Malmborg

ニーナ・ベックマン＆マンス・マルムボリ / イラストレーター・エージェント ＆ 建築家

ひまわりの種入りパンを、ノエルが大きなお口でがぶり

ライ麦パンや甘いデニッシュ、パンのお供のバターやチーズ

まっ赤なトマトに、シナモンのお菓子

日曜日の家族のブランチは、このまるいテーブルで。

気に入ったものは、とりあえず買うこと！

スタイルやジャンルも気にせずに「好き」を集めた

ニーナとマンスのダイニングキッチンで「今日はなにして遊ぶ？」

そう、まだまだ今日ははじまったばかり……

のんびり週末の計画は、キッチンのテーブルで

スウェーデンの才能あふれるイラストレーターたちをサポートする「エージェント・フォーム」を立ち上げたニーナと、ストックホルムのレストランなどを手がける建築家のマンス。クリエイティブなカップルのキッチンは、楽しい時間を過ごせる空間にしようと、マンスが工夫をちりばめた。もともとリノリウムだった床は、白くペイントしたフローリングに、調理台が面した壁も白いタイルでおおい、清潔感のある白を使って明るい空間に。ダイニングテーブルの近くの壁のくぼみを利用して、スパイス類を整理する棚も取り付けた。調理台の収納は、「イケア」で選んだもの。扉はチョコレートブラウンにペイントして、板の側面はあざやかな赤に。ちらちらと見える赤いラインは、ちょっとしたディテールだけれど、それだけでもオリジナルのキッチンに。

色使いやオブジェで、インテリアに遊びごころを加えるのが大好きなニーナとマンス。その気持ちは料理でも一緒で、季節の食材を使って、新しいオリジナルレシピを次々と作り出すことも楽しんでいる。

＊エージェント・フォーム / Agent Form

Pernilla & Patrick Baltatzis

ペルニラ＆パトリック・バルタズィス／ファッションデザイナー＆ジャーナリスト

スウェーデンのスーパーマーケットを訪れると
ミルクや野菜、さまざまな食べ物にオーガニックラベルがついている。
ペルニラとパトリックの毎日の食事も、オーガニックな素材にこだわって。
パンもすべてペルニラのホームメイド。キッチンにはパン作りのために、
もちろん有機栽培された、さまざまな種類のシリアルをストック。
お料理好きなふたりは、ディナーを一緒に準備することも。
冷蔵庫にはフェタチーズ、ヨーグルト、レモン、オリーブ……
ギリシャ人のパトリックの得意なギリシャ料理が、今夜のメニュー。

ていねいにオイルで磨く木の風合いは、オーガニックな魅力

スウェーデンのモード雑誌「Damernas」主催のデザイン大賞を受賞して、ファッションデザイナーとして活躍しているペルニラ。それからというものオリジナルのブランドや、モードなデザインで求めやすい洋服やアクセサリーが人気の「H&M」の子どものためのライン「LOGG」など多くのコレクションを手がけている。

ペルニラがパートナーのパトリックと一緒に暮らすのは、ストックホルムの郊外でいちばん大きな国立のエコパーク、ハーガ公園の近く。すがすがしい輝くような緑と、たっぷりの明るい日ざし、そして広々としたアパルトマンが気に入ったペルニラとパトリック。インテリアはすべて、ふたりで考えて、簡単な作業はすべて自分たちで手がけた。キッチンは使いやすさと美しさにこだわって。オーブンレンジや冷蔵庫、シンクなどはコンテンポラリーなデザインが揃うインテリアショップ「アスプルンド」で見つけたもの。調理台に沿って、ちょうど目線の高さくらいまではナラの木材の飾り棚を取り付けた。イエローがかったナチュラルな木の美しさがいかされている。

Lovisa Lamm

ロヴィサ・ラム / 舞台監督アシスタント

この本の中でいちばんちいさな、ロヴィサのかわいいキッチン

見ているだけで元気になりそうな

カラフルで楽しい、ティオ・グルッペンのアイテムや

70年代の食器はお母さんから譲り受けた、ロヴィサも大好きなもの。

ロヴィサが外国を旅して出会ったオブジェや

近くのチャイニーズタウンで見つけたキッチュな食器

ヴィヴィッドで力強いデザインが、この部屋では仲良しになっている

KLMNO
PQRST
UVXYZ
ÅÄÖ!?()
01234
56789

右ページ中上：モダンなキッチンに、少しでもなつかしい雰囲気を取り入れたくて、のみの市で見つけてきた古いやかん。
左上：70年代のペン立てをカトラリー入れにしてみたら、ぴったり。キッチンの中でいちばんのロヴィサのお気に入り。

ハッピーパワーいっぱいのデザインが集まったポケットキッチン

スウェーデン王立劇場で舞台監督のアシスタントをしているロヴィサの家は、ストックホルムの中華街の近くにあるアパルトマン。家で仕事をすることも多くて、このささやかなワンルームはアトリエにもなっている。テーブルは仕事用のデスクとして使っているので、友だちが訪ねてくると、いそいで片付けてディナーの食卓に。コンパクトなキッチンは、オーダーメイドで作ってもらったもの。ちいさいあまりに、トースターも置けないというロヴィサだけれど、作り付けのオーブンを使って料理を楽しんでいる。中華街に近いので、食材が手に入れやすいアジア料理が得意。

ロヴィサのお母さんはカラフルで大胆なパターンが人気の「ティオ・グルッペン」をスタートさせたデザイナーのひとり、インエラ・ホーカンソン。ベッドにもなっているカウチの上に並んでいるクッションは、スタート当時の70年から現在までのコレクション。テーブルのまわりに置かれた、あざやかな色使いが楽しいイスも、70年代にお母さんがペイントしたものを最近プレゼントしてもらった。カラフルなオブジェが集まった、楽しいスペースになっている。

Ebba & Svante Kettner

エバ＆スヴァンテ・ケトナー / イラストレーター・エージェント＆テレビプロデューサー

スウェーデンの国王が、ゲストを招いて
パーティを開いていたという歴史ある大きなお屋敷
そんな素敵なアパルトマンに暮らすエバとスヴァンテ。
あたたかみのある木やベージュのタイル
ひんやりと冷たい大地を感じる大理石……
ナチュラルな素材で作られたキッチンは
静かで、美しくて、大きくて、そしてやさしい
スウェーデンの豊かな自然を感じさせる空間。

LOKA

キャンドルのやわらかい光と暖炉のぬくもり

「エージェント・フォーム」という会社を立ち上げ、ニーナと一緒にイラストレーターをサポートしているエバ。スヴァンテとふたりで暮らすアパルトマンは、ハーガ公園の中にあるスウェーデン国王の所有する建物。1792年に建てられたこの大きな館は当時、国王がパーティを開いていたところ。ストックホルムの中心地からすこし離れた静かな公園も、まわりに住まいや大学ができて、その様子は変わってきた。

この美しいアパルトマンに引っ越してきたときに、ガラスの壁で閉ざされていたキッチンを開放的なオープンキッチンにしたエバ。壁にはベージュのタイルを貼り、調理台は大理石と木というナチュラルな素材を使い、清潔感のあるキッチンに生まれ変わった。食卓を照らすのは、オランダのデザインユニット「moooi」のシンプルなペンダントライト。だ円形のテーブルのまわりには、木目の美しいアルネ・ヤコブセンのアントチェアが並ぶ。コンテンポラリーなデザインの家具が集まってモダンだけれども、昔ながらの白い陶製の暖炉もそのまま大切に使っている。

左下：娘のノラとベラも一緒に家族のディナーは、伝統的なスウェーデンの食事のひとつ、パンケーキ。カトリックの風習で、木曜日には白インゲン豆のスープとパンケーキを食べるのだそう。リンゴンジャムと呼ばれる、こけもものジャムを添えて。

＊エージェント・フォーム / Agent Form

Kari Modén & Kaari Kohvakka

カリ・ムディーン＆カーリ・クヴァカ / イラストレーター ＆ フォトグラファー

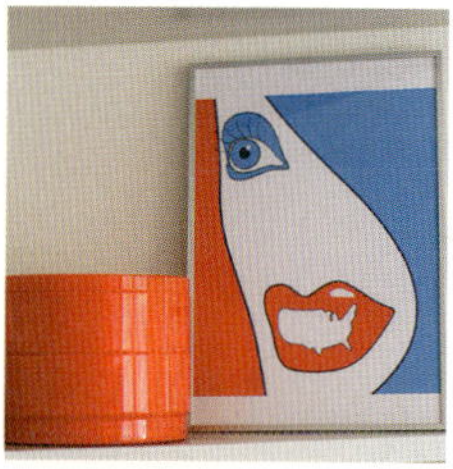

ねぇ、サムとアロ。今日はなにが食べたい？

ふたりの男の子のママ、カリの毎日は

ごはんのメニューに悩まされることもしばしば……

でも、みんなが大満足のとっておきのメニューがある

それは、サーモンのマリネとタイ・カレー。

そして、もうひとつスェーデンの伝統料理

マッシュポテトと子牛のひき肉を使ったWallenbergare

あまずっぱいリンゴンジャムを添えてね。

mellan
mjölk

中上：冷蔵庫のドアにはカリのヴィヴィッドな色使いのイラストのポストカードをピンナップ。

いつもの朝ごはん、夏には窓から見えるお庭のテーブルで

イラストレーターとして活躍するカリとフォトグラファーのカーリは、スウェーデン人とフィンランド人のカップル。郊外の森にも近い住宅街の一軒家で、11歳のサムと7歳のアロふたりの息子と一緒に4人で暮らしている。ふたりとも家をアトリエにしているので、一緒に家で過ごす時間も長い。少し前までは借りていたこの家をついに購入して、自分たち好みに半年かけてリフォーム。
カウンターをコの字型に設置したキッチンは、とてもお料理しやすそう。床は掃除が簡単なリノリウムで仕上げ、収納の扉はやさしいペールブルーに。このシンプルなキッチンのアクセントになっているのが、庭に面した窓の上に取り付けた、オレンジと黒のモチーフがグラフィカルな「ティオ・グルッペン」のテキスタイル。Hemtex社のモノトーンのクロスを広げた家族のダイニングテーブルでは、ちょうど朝ごはんの時間。ミルクとジュース、ライ麦パンにバターとチーズ、そしてチューブ入りのキャビアも欠かせない。
スウェーデンでは魚の卵をキャビアと呼ぶので、この「KALLES」はキャビアといっても塩味のきいたタラの子のペースト。カフェでも朝のメニューに出ているくらい人気！

Katarina Olsson-Evans

カタリナ・オルソン-エヴァンス / テキスタイル・ディレクター

あたたかな太陽からのおくりもの、
とろりとしたハチミツ色の光を、からだいっぱいに感じる
ゆったりキッチンで、もっと気持ちよく過ごせるようにと、
ささやかだけど、かわいい魔法をかけているカタリナ。
ちいさな2段の飾り棚のカフェカーテンをよく見ると
赤い糸で縫い取りをしたネットと新聞紙！
スウェーデンの冬のあいだの女性の手仕事といわれていた
昔ながらの刺しゅうも、モダンに取り入れられている。

左上：「愛とは神のかがり火である」。スウェーデン出身の作家、スヴェン・アクスナーの詩を、壁に針金を使って書いた。
左下：たっぷりのフルーツと、生クリームを添えて、パウダーシュガーでお化粧した「即興のチョコレートケーキ」。レシピはP120を参考に。

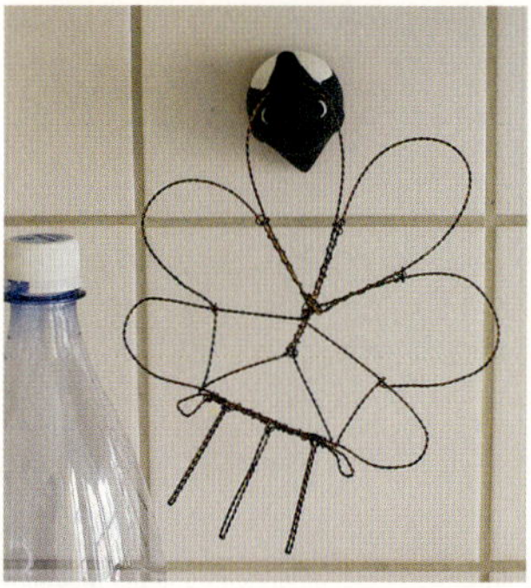

左下：冷蔵庫の脇に重ねて置いた、木のミニテーブル。その上に載せたかごも素朴な魅力にあふれていて、中に入れたフルーツがまるでもぎたてのよう。右下：冷蔵庫に並べたマリアさまのマグネットは、友だちがローマを旅したときのおみやげ。

ちくちく針と糸でつむぐ、ぬくもりの時間

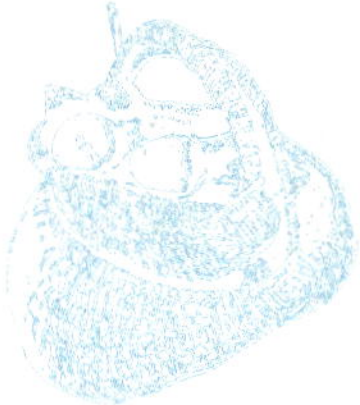

ストックホルムの街の中心地にある、古くて立派な造りのアパルトマンに引っ越してきたばかりのカタリナ。スウェーデンの昔からの建物らしく、腰高の位置までの窓がいくつもあるキッチンは、やさしい光がたっぷり取り込める明るい空間。ハチミツのようなベージュ色の中に、透明感あるグリーンの備え付けられた収納の色合わせがとてもきれい。女性らしいこんなキッチンを気に入ったカタリナは、お気に入りのオブジェで、より自分らしい空間に楽しくアレンジ。

古くから北欧で使われていたお皿を立てて並べられる飾り棚には、青い絵柄の入ったお皿をコレクションのようにディスプレイ。リナム社のホームリネン・コレクションをディレクションしているカタリナは、年に2、3回はインドやフィリピンに出張する。キッチンの窓にかけているバナナの繊維で編まれたカーテンは、出張先から持ち帰ったおみやげ。そして、「DO-REDO」のプロジェクトのメンバーとして、得意な刺繍をいかしたアイデアを出しているカタリナ。キッチンのクロスにも、ジグザグのラインやモチーフを入れて、オリジナルにひと工夫。

Recept

Gott recept från Stockholm

ストックホルムのおいしいレシピ

ストックホルムのアーティストたちのとっておきレシピ。家庭で簡単に作るパンや、甘いものが大好きなスウェーデンの人たちらしいケーキなど、それぞれの家でよく作るお料理を教えてもらいました。そんな普段のレシピなので、材料や分量などはそのときどきで変わるようだけれど、お好みでアレンジして楽しんでみて。

Grovt bröd

とっても簡単な朝のパン

Evalena Forslind P10

スウェーデンでよく食べられるライ麦パンのとっても簡単なレシピ。もし好みに焼き上がらなくても、アレンジして自分の味や固さを見つけながら楽しんでね。ドライイーストに、ひと肌にあたためたお水600ccを加えます。そこにライ麦粉を、様子を見ながら加えていって。表面がなめらかになるまでよくこねたら、パン種を1時間半くらい休ませます。ボールに小麦粉をふっておくのを忘れないで。パン種の大きさが2倍くらいにふくらんだら、ひっくり返して天板の上でさらに30分休ませます。275度のオーブンで10分焼いたら、今度はオーブンの温度を200度まで下げて20分……おいしい香りがしてきたでしょう？

Sockerkaka med kardemumma

カルダモンのお菓子

Marita Forberg P24

スパイスの香りが魅力的なビッケとホリーも大好きなお菓子です。まずは丸いお菓子の焼き型のまわりにバターを塗って、パン粉をふっておきましょう。たまご2個を泡立てて、砂糖55gとブラウンシュガー55gを加えて混ぜます。ここに小麦粉50g、ドライイースト小さじ1、バニラシュガー小さじ1、くだいたカルダモン大さじ2.5を加えたら、よく混ぜ合わせて。次にバター50gを溶かして、牛乳100ccに入れます。全部を生地がむらなく落ち着くまで混ぜ合わせます。焼き型に入れて、175度にあたためておいたオーブンの下の段で35分くらい焼いたら、できあがり。

Laxrullar

サーモン・ロール

Joakim Sveder P50

シンプルな素材で簡単にできるオードブルを紹介します。スウェーデンのおいしいチーズとサーモンを使ってね。フレッシュチーズ150gとおろしたレフォール（西洋わさび）大さじ2を混ぜ合わせます。スウェーデンの四角いパン「tunnbrod」を4枚用意して、さっきのチーズをしっかり塗ろう。その上にスモークサーモンのスライス200gを敷きつめたら、くるくると巻いて……冷蔵庫で20分くらい休ませて落ち着かせます。冷蔵庫から取り出したら、3センチ幅にカットして、あとはお好みでホイップクリームとレモンの皮でデコレーションしたら、できあがり。

Sommarsallad

夏のサラダ

Karolina Sparring P84

夏のランチにぴったり、あっというまにできるサラダです。レッドビーンズ1缶とフレッシュチリ半分、にんにく1かけ、フレッシュミント5枝、レモン果汁大さじ3をミキサーにかけます。これでボンサラサ・ソースのできあがり。次にクスクスをゆでて、ほぐします。そのときにカルダモンを加えて、風味をつけてみて。そしてヤギのチーズ、アプリコット、いちご、メロン、アボカドを食べやすい大きさにカットして、ハチミツにからめておきます。ナッツはオーブンで、塩をふって香ばしく焼きます。サラダボールに盛りつけたら、ハーブオイルをたっぷりとかけましょう。ソースと一緒にめしあがれ。

Chokladkaka

チョコレートケーキ

Katarina Olsson-Evans P114

まずは焼き型にバターを塗って、それからバター100gを室温に戻しておきましょう。砂糖1.5カップとたまご2個を混ぜ合わせます。続いて、小麦粉1.5カップとベーキンウパウダー小さじ1.5、ココア大さじ4も混ぜ合わせましょう。全部を合わせたら、細かくしたビターチョコレート100gと細かくしたヘーゼルナッツ3/4カップを入れて、さっくりと混ぜましょう。焼き型に生地を入れて、175度にあたためておいたオーブンで45分くらい焼きます。ケーキの粗熱がとれたら、パウダーシュガー、季節のフルーツやホイップクリームで、楽しくデコレーション！

Stockholmsguide

ストックホルム・ガイド

スウェーデンの首都、ストックホルムは14の島からなる水の都。湖と海に囲まれていて、中世の古い建物もたくさん残る美しい街は、「北欧のヴェニス」とも呼ばれています。いつも身近にきれいな水と緑の木々を感じることができる風景を、ストックホルムの人たちはとても愛しています。古い建物を大切にしているので、街並の様子はあまり変わりませんが、建物の中に一歩はいると、モダンデザインの国らしくインテリアは常に新しく進化しています。そんなストックホルムで出会ったブティックやカフェなどを少しだけ紹介します。

10 - gruppen

Götgatan 25, Stockholm
tel : 08 643 25 04　www.tiogruppen.com

ポップなカラーリングと大胆なグラフィックで、日本でもおなじみのファブリック・ブランドのショップ。1970年に10人のデザイナーが集まり、デザインから販売するまでのすべてを自分たちで手がけようとスタート。バッグやポーチのほか、トレイやエプロンなどキッチンを楽しくするグッズも見つかる。

Coctail Deluxe

Bondegatan 34, Stockholm
tel : 08 642 07 41

カラフルでキッチュなオブジェがたくさん集まる「Coctail」のお姉さん的存在のショップ。エキゾチックなランプやビッグサイズの壁掛け時計などユニークなオブジェのほかに、70年代のヴィンテージの壁紙などのコレクターズアイテムも。宝物探しのような気分で、ついつい長居してしまうショップ。

David Design

Götgatan 36, Stockholm
tel : 08 694 75 75　www.david.se

スウェーデンらしいぬくもりのあるシンプル・モダンなデザインの家具や雑貨が揃うショップ。店内には、20年、30年と長く愛用したくなるデザインばかり。インテリアだけでなく、そのコレクションにはウェアや本、CDまで揃っていて、毎日の暮らしをトータルに提案する新しいタイプのセレクトショップ。

Design Torget

Kulturhuset, Stockholm
tel : 08 21 91 50　www.designtorget.se

食器やキッチングッズのほかにも、本やおもちゃ、ステーショナリーとさまざまなデザインオブジェが見つかるショップ。有名デザイナーはもちろん、ここでしか出会えないフレッシュなデザイナーの作品もたくさん。1週間単位で商品が入れ替わるので、足を運ぶたびになにか発見のあるお店。

Model 70

Àsögatan 132, Södermalm

tel : 08 462 02 86　www.model70.se

60～80年代のインテリアや、カラフルなプラスチックのプレートやカップなどの雑貨を扱うヴィンテージショップ。ダメージが少ないコンディションのよい商品ばかりなので、ファンも多い。赤やグリーン、オレンジにイエロー、こんなポップなカラーが加わると、お部屋の中も楽しくなりそう。

R.O.O.M.

Alströmergatan 20, Stockholm

tel : 08 692 50 00　www.room.se

倉庫をリフォームした天井の高い広々とした建物の中に、ソファやテーブル、イスなど家具から、キャンドルやマグカップ、ステーショナリーなどの小物まで幅広い品揃えが人気のセレクトショップ。ショップの中にはカフェもあるので、ゆっくりと時間を過ごすことができる。

wigerdals värld

Krukmakargatan 14, Södermalm

tel : 08 31 64 04.　www.wigerdal.com

50～70年代のスカンジナビア・デザインの代表的なアイテムが揃うショップ。どこの会社が作り、誰がデザインしたものかという、作品が生まれるまでのストーリーも大切に伝えているスカンジナビア。アーティストやデザインについて、ショップオーナーからアドバイスも聞けるので、気軽にたずねてみて。

Stockholms Stadsmission Second Hand

Hornsgatan 58, Stockholm　tel : 08 642 93 35

ホームレスの人たちを助ける活動のひとつとして、ストックホルムで75年前にオープンしたセカンドハンドショップ。ストックホルムの人たちにはおなじみのショップで、古着や家具、雑貨、本などさまざまなものがたくさん集まっていて、掘り出し物が見つかりそうな予感にあふれている。

RIVAL

Mariatorget 3, Stockholm
tel : 08 545 789 00　www.rival.se

人気ポップグループABBAのメンバー、ベニー・アンダーソンがオーナーのうちのひとりという「リヴァル」。1937年に建てられた古いホテルをリフォームして、ホテル、映画館、ビストロ、カフェとして生まれ変わった。カフェではオリジナルのバリエーション豊かなパンで作るサンドイッチが人気。

String

Nytorgsgatan 38, Stockholm
tel : 08 714 85 14

たくさんの人たちのおしゃべりで、いつもにぎやかな人気のカフェ。以前、ヴィンテージのインテリアショップだった店内では、商品だった50年代のテーブルやイスがそのまま利用されている。シリアルバゲットやサラダなどのおいしいメニューだけでなく、個性豊かなインテリアも魅力のひとつ。

SVART KAFFE

Södermannagatan 23, Södermalm
tel : 08 46 29 500　www.svartkaffe.se

アーティストたちのアトリエやショップも多く集まる、いま注目のセーデルマルム地区にあるカフェは、ショッピングの合間にひとやすみするのにぴったり。お店の外に並んだ、あざやかなイエローのイスが目印。フレッシュなサラダやサンドイッチがおすすめ。

Moderna Museet

Slupskjulsvägen 7-9, Stockholm
tel : 08 51 95 52 00　www.modernamuseet.se

ストックホルムの東部、シェップスホルメン島にある近代美術館。2004年のリニューアルオープンから入場が無料になって、より親しみやすいミュージアムに。広々とした庭にはオブジェが点在しているので、お散歩しながら楽しむことも。館内にあるセルフサービスのおしゃれなカフェから眺めるバルチック海はまばゆいばかり！

Nordiska Museet

Djurgårdsvägen 6-16, Stockholm
tel : 08 519 546 00　www.nordiskamuseet.se

ユールゴーデン島に入ると、すぐにそびえる王宮のように豪華で美しいノルディスカ（北方民族）博物館。16世紀から現代にいたるまでの暮らしにかかわるあらゆる品が展示されている。その中にはABBAのレコードも！洋服や家具、昔のキッチンの模型なども展示されていて、スウェーデンの暮らしを身近に感じることができそう。

Hotell

Scandic Hotel Hasselbacken

Hazeliusbacken 20, Stockholm　tel：08 517 343 00
www.scandic-hotels.se/hasselbacken

スカンセン野外博物館のあるユールゴーデン島の中に建つスカンディックホテル・ハッセルバッケンは、緑に包まれ落ち着いた雰囲気。近くにはノルディスカ博物館やヴァーサ号博物館、グローナ・ルンド遊園地などもある。リサイクルできる備品やゴミの分別など、エコロジーにも積極的に取り組んでいる。

Clarion Hotel Stockholm

Ringvägen 98, Stockholm　tel：08 462 10 00
www.clarionstockholm.com

セーデルマルムにあるクラリオンホテル・ストックホルムは、すこし歩けばガラム・スタンという便利なロケーション。モダンなソファが並ぶロビーは、天井が高く会議室やレストランまでフロア全体がひと続きになっていて、ゆったりしている。客室もシンプルでモダンなインテリアで、大きなガラス窓が開放的。

はじめて訪れたストックホルムで出会った、街のみんなどうもありがとう。

Tack！

Scandinavian Tourist Board

スカンジナビア政府観光局　www.visitscandinavia.or.jp

デンマーク、ノルウェー、スウェーデンとスカンジナビア3国のさまざまな情報を提供してくれる観光局。3国の歴史や文化から、おすすめスポットやレストラン、ホテルなども紹介しているウェブサイトには、スカンジナビアへの旅のヒントがいっぱい。

toute l'equipe du livre

Jeu de Paume
Photographe : Hisashi Tokuyoshi
Design : Megumi Mori, Tomoko Osada, Kei Yamazaki
Textes : Coco Tashima
Coordination : Pauline Ricard - André, Charlotte Sunden,
Yong Andersson, Fumie Shimoji
Éditeur : Coco Tashima
Art direction : Hisashi Tokuyoshi

Contact : info@paumes.com www.paumes.com

Impression : Makoto Printing System
Distribution : Shufunotomosha

Jeu de Paume
ジュウ・ドゥ・ポゥム

人気のデザインユニット「ツェツェ アソシエ」やファッションイラストレーター、キャルロッタなど、パリ在住アーティストたちの日本での活動をプロデュースする他、アーティストたちの作品を発表する場として、自由が丘と青山に「ギャラリー・ドゥー・ディマンシュ」を運営している。また著者としても、自分たちの出会ったアーティストたちのクリエイティビティを紹介する「クリエーションシリーズ」ほか12冊を刊行。代表作に『パリのフローリスト』『ようこそパリの子ども部屋』など。
詳しくはwww.paumes.com 、www.2dimanche.comまで。